U0112806

间架结构

图书在版编目（CIP）数据

楷书入门. 间架结构：升级版 / 田英章书. —上海：上海交通大学出版社，2018

（华夏万卷）

ISBN 978-7-313-20509-4

Ⅰ.①楷… Ⅱ.①田… Ⅲ.①硬笔字-楷书-法帖

Ⅳ.①J292.12

中国版本图书馆 CIP 数据核字（2018）第 267378 号

楷书入门　间架结构（升级版）

KAISHU RUMEN　JIANJIA JIEGOU(SHENGJI BAN)

田英章　书

出版发行：上海交通大学出版社　　地　址：上海市番禺路 951 号

邮政编码：200030　　电　话：021-64071208

印　刷：成都蜀望印务有限公司　　经　销：全国新华书店

开　本：880mm×1230mm　1/16　　印　张：9

字　数：72 千字

版　次：2018 年 12 月第 1 版　　印　次：2020 年 10 月第 3 次印刷

书　号：ISBN 978-7-313-20509-4/J

定　价：22.00 元

版权所有　侵权必究

全国服务热线：028-85939832

目　录

名师书写示范

强化训练(八)

须	须	须	须			侈	侈	侈	侈		
球	球	球	球			殄	殄	殄	殄		
奴	奴	奴	奴			妖	妖	妖	妖		
赦	赦	赦	赦			致	致	致	致		
怨	怨	怨	怨			帮	帮	帮	帮		
诩	诩	诩	诩			劈	劈	劈	劈		
石	石	石	石			整	整	整	整		
止	止	止	止			避	避	避	避		
么	么	么	么			鹦	鹦	鹦	鹦		
凸	凸	凸	凸			酵	酵	酵	酵		

婚姻的幸福并不完全建筑在显赫的身份和财产上，却建筑在互相崇敬上。这种幸福的本质是谦逊和朴实的。

——[法]巴尔扎克

温故知新：笔画练习

间架结构：大小独具

名师书写示范

大小独具

笔画少则小 田感 笔画多则大

提示： 因笔画的多少和结构的不同，字形有大有小，大的不要写小，小的不要写大。

名师点评 田 字形太大了，"田"笔画少，结构简单，不能强行写大。

田	田	田	田		
田	田	田	田		

感	感	感	感			感	感	感	感		
占	占	占	占			占	占	占	占		
恩	恩	恩	恩			恩	恩	恩	恩		
壬	壬	壬	壬			壬	壬	壬	壬		
鸥	鸥	鸥	鸥			鸥	鸥	鸥	鸥		
分	分	分	分			分	分	分	分		
厨	厨	厨	厨			厨	厨	厨	厨		
仓	仓	仓	仓			仓	仓	仓	仓		
珊	珊	珊	珊			珊	珊	珊	珊		
尼	尼	尼	尼			尼	尼	尼	尼		

新手练字诀窍21

书写一段话时，比较通用的原则是：字的大小适当，字与字之间要留有空隙，且间距要大致相同；行与行之间不能太密，行间距要大于字间距；每行开头第一个字的位置要对齐；字的重心要在一条水平线上，不可有的字偏高，有的字偏低。

亅 亅 亅 亅 雨 雨 雨 雨
画 画 画 画
乚 乚 乚 乚 光 光 光 光
亅 亅 亅 亅 乎 乎 乎 乎
良 良 良 良
乁 乁 乁 乁 飞 飞 飞 飞
乃 乃 乃 乃
各 各 各 各
朵 朵 朵 朵
乙 乙 乙 乙 九 九 九 九
及 及 及 及
娱 娱 娱 娱
话 话 话 话
马 马 马 马

间架结构：三部呼应

三部呼应

塑

稍大　直小

末横伸展，以稳字形

提示：三部分组成的字，结构复杂，各部分应避就相迎，配合协调，形匀松散。

名师点评

谧

言字旁太小，"皿"太大，整体搭配不协调。

塑 塑 塑 塑　塑 塑 塑 塑

贸 贸 贸 贸　贸 贸 贸 贸

聂 聂 聂 聂　聂 聂 聂 聂

瑙 瑙 瑙 瑙　瑙 瑙 瑙 瑙

溯 溯 溯 溯　溯 溯 溯 溯

酱 酱 酱 酱　酱 酱 酱 酱

渺 渺 渺 渺　渺 渺 渺 渺

辩 辩 辩 辩　辩 辩 辩 辩

狱 狱 狱 狱　狱 狱 狱 狱

蒜 蒜 蒜 蒜　蒜 蒜 蒜 蒜

谧 谧 谧 谧　谧 谧 谧 谧

读一本书，就是和许多高尚的人谈话。

——[德]歌　德

名师书写示范

温故知新：偏旁练习

氵	氵	氵	氵			河	河	河	河		
亻	亻	亻	亻			你	你	你	你		
木	木	木	木			村	村	村	村		
礻	礻	礻	礻			补	补	补	补		
土	土	土	土			地	地	地	地		
王	王	王	王			珍	珍	珍	珍		
纟	纟	纟	纟			红	红	红	红		
讠	讠	讠	讠			说	说	说	说		
口	口	口	口			叶	叶	叶	叶		
日	日	日	日			旺	旺	旺	旺		
月	月	月	月			肚	肚	肚	肚		
忄	忄	忄	忄			惊	惊	惊	惊		
扌	扌	扌	扌			打	打	打	打		

间架结构：斜抱穿插

名师书写示范

斜抱穿插

迎就 饮 穿插

提示：由两部分组成的字最忌远离，应呈合抱之势，互有穿插，呼应强烈。

名师点评 妙 左右两部分得太开，没有写出相互依附之感。

						饮	饮	饮	饮		
						饮	饮	饮	饮		
沙	沙	沙	沙			沙	沙	沙	沙		
妙	妙	妙	妙			妙	妙	妙	妙		
经	经	经	经			经	经	经	经		
坪	坪	坪	坪			坪	坪	坪	坪		
规	规	规	规			规	规	规	规		
杯	杯	杯	杯			杯	杯	杯	杯		
孜	孜	孜	孜			孜	孜	孜	孜		
软	软	软	软			软	软	软	软		
纽	纽	纽	纽			纽	纽	纽	纽		
妩	妩	妩	妩			妩	妩	妩	妩		

只有生活的绿树四季常青，郁郁葱葱。

——[德]歌 德

石 码
𧾷 跑
马 驴
火 灯
女 妞
钅 钢
车 轨
阝 陌
阝 郊
卩 却
刂 利
攵 故
艹 草
⺮ 笑

间架结构：牵丝粘连

名师书写示范

牵丝粘连

牵丝连带　音

提示：笔画是筋骨，牵丝是血脉。此技法要求笔断而意连，形断而意不断。

名师点评　应　被包部分的三点各自独立，应写出意连的感觉。

音	音	音	音		
音	音	音	音		

竞	竞	竞	竞			竞	竞	竞	竞		
冬	冬	冬	冬			冬	冬	冬	冬		
应	应	应	应			应	应	应	应		
意	意	意	意			意	意	意	意		
修	修	修	修			修	修	修	修		
恶	恶	恶	恶			恶	恶	恶	恶		
惮	惮	惮	惮			惮	惮	惮	惮		
炼	炼	炼	炼			炼	炼	炼	炼		
热	热	热	热			热	热	热	热		
影	影	影	影			影	影	影	影		

Booom 新手练字诀窍20

我们经常在练习时，临摹范字写得很好，但在实际运用时，又用“自由体”瞎写一气。应该两者结合，注重实用。在练完一篇字后，除了复习练习的内容，还要趁热打铁，练习一些实际运用的内容，例如古诗词、名人名言、散文等。

宀 宝
穴 究
疒 病
人 全
⻗ 雷
灬 点
心 忘
辶 过
走 起
皿 盐
冂 同
门 问
匚 区
囗 因

强化训练（七）

名师书写示范

曳	曳	曳	曳			笔	笔	笔	笔		
司	司	司	司			贰	贰	贰	贰		
帝	帝	帝	帝			宠	宠	宠	宠		
毕	毕	毕	毕			骨	骨	骨	骨		
妻	妻	妻	妻			带	带	带	带		
并	并	并	并			屡	屡	屡	屡		
归	归	归	归			处	处	处	处		
枕	枕	枕	枕			轧	轧	轧	轧		
息	息	息	息			轰	轰	轰	轰		
疲	疲	疲	疲			宸	宸	宸	宸		

最难抑制的情感是骄傲，尽管你设法掩饰，竭力与之斗争，它仍然存在。即使我敢相信已将它完全克服，我很可能又因自己的谦逊而感到骄傲。

——[美]富兰克林

间架结构：独体字(一)

名师书写示范

横长竖短

提示：横长的字，竖要写短才好看，这样搭配显得字形协调，丰润结实。

工：竖短；横略扛肩

名师点评：业——横画写得太短，应拉长一些，托住上部。

工 五 玉 业 下

横短竖长

提示：上横和中横短的字，竖要拉长，字才有神气。

井：两横平行；竖长直挺

名师点评：生——横长竖短显得宽扁，应横短竖长，字才有精神。

井 未 韦 术 生

新手练字诀窍1

汉字字形千姿百态，菱形的字，笔画左右伸展，上下出头，四方笔画到位，主笔在中轴线和中横线上。圆形的字并不是把字写得很圆，而是要“八面势全”。字的笔画以圆心为中心向四周扩散，呈放射状。

间架结构：收缩纵展

名师书写示范

收缩纵展

上部收缩
鱼
下部伸展，托住上部

提示：一个字中既有收缩的笔画，也有纵展的笔画。两者互为补充，互为衬托。

名师点评
昏
下部写得偏大，宜收缩；上部的斜钩宜写得直挺。

鱼 鱼 鱼 鱼
鱼 鱼 鱼 鱼

乡 乡 乡 乡　乡 乡 乡 乡
灭 灭 灭 灭　灭 灭 灭 灭
足 足 足 足　足 足 足 足
采 采 采 采　采 采 采 采
咫 咫 咫 咫　咫 咫 咫 咫
巫 巫 巫 巫　巫 巫 巫 巫
昏 昏 昏 昏　昏 昏 昏 昏
金 金 金 金　金 金 金 金
尾 尾 尾 尾　尾 尾 尾 尾
逆 逆 逆 逆　逆 逆 逆 逆

Booom 新手练字诀窍 19

田英章先生说过，练字有四个阶段：第一阶段，是心里不明白，写不出来；第二阶段，是心里明白，手不通；第三阶段，是心里明白，手也通；第四阶段，是心不灵犀，手也通了。就像饭如何吃，走路如何迈步一样，不必思考就熟练了。

间架结构：独体字(二)

名师书写示范

新手练字诀窍2

左斜形的字，整体向左倾斜，常以斜钩为主笔，要把握好重心。右斜形的字，整体向右倾斜，不必把它扶正，但要右斜适度，同样也要把握好重心。

间架结构：中宫收紧

名师书写示范

中宫收紧

中宫收紧 故

提示："中宫"指字的核心，以字中为核心收紧，而其他笔画向外展开，内聚外散。

名师点评 承 字的核心部分写得稍显分散，横画应短而紧凑。

故	故	故	故		
故	故	故	故		

共	共	共	共			共	共	共	共		
更	更	更	更			更	更	更	更		
夏	夏	夏	夏			夏	夏	夏	夏		
承	承	承	承			承	承	承	承		
孝	孝	孝	孝			孝	孝	孝	孝		
垂	垂	垂	垂			垂	垂	垂	垂		
秉	秉	秉	秉			秉	秉	秉	秉		
算	算	算	算			算	算	算	算		
姿	姿	姿	姿			姿	姿	姿	姿		
虔	虔	虔	虔			虔	虔	虔	虔		

竭诚相助亲密无间，乃友谊之最高境界。

——[印度]瓦鲁瓦尔

间架结构：上下结构（一）

名师书写示范

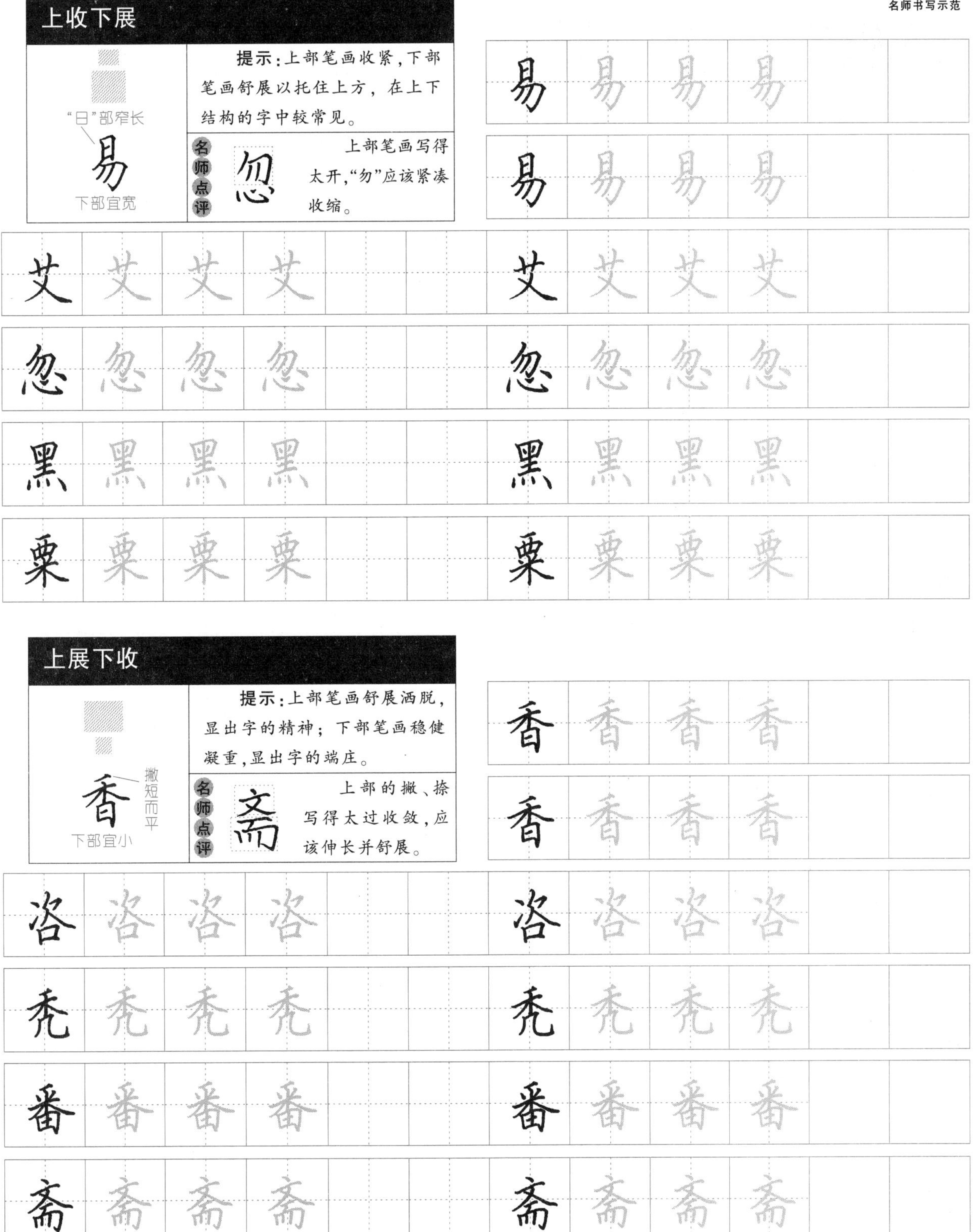

上收下展

“日”部窄长
易
下部宜宽

提示：上部笔画收紧，下部笔画舒展以托住上方，在上下结构的字中较常见。

名师点评 忽 上部笔画写得太开，“勿”应该紧凑收缩。

易 易 艾 忽 黑 栗

上展下收

撇短而平
香
下部宜小

提示：上部笔画舒展洒脱，显出字的精神；下部笔画稳健凝重，显出字的端庄。

名师点评 斋 上部的撇、捺写得太过收敛，应该伸长并舒展。

香 香 浴 秃 番 斋

三军可夺帅也，匹夫不可夺志也。

——《论语·子罕》

名师书写示范

间架结构：钩趯匕刃

钩趯匕刃

它 钩身宜短促而坚挺

提示：楷书中钩不宜长，应像匕首一样短而有力。

名师点评 宅 末笔的弯钩似有似无，应该垂直向上，出钩有力。

它	它	它	它		
它	它	它	它		

丽	丽	丽	丽			丽	丽	丽	丽		
宛	宛	宛	宛			宛	宛	宛	宛		
扎	扎	扎	扎			扎	扎	扎	扎		
找	找	找	找			找	找	找	找		
宅	宅	宅	宅			宅	宅	宅	宅		
孙	孙	孙	孙			孙	孙	孙	孙		
捣	捣	捣	捣			捣	捣	捣	捣		
耐	耐	耐	耐			耐	耐	耐	耐		
皆	皆	皆	皆			皆	皆	皆	皆		
虑	虑	虑	虑			虑	虑	虑	虑		

Booom 新手练字诀窍 18

如果感觉练单字太枯燥，可以尝试以下两种方法：1.你可以将单字分解成笔画、偏旁、结构，然后观看视频听老师讲解，掌握书写技巧，再与同伴交流习字心得。2.在田字格本上对比范字反复练习，每次练习都标上日期，日积月累发现自己的进步，成就感会给你前进的动力。

间架结构：上下结构（二）

新手练字诀窍3

字好看不好看还得看单字，这是亘古不变的真理。无论笔锋出得多好，整篇有多协调，只要单字不能让人一眼看上去舒服，就不能算美观。所以，新手练字不建议拿起一篇文章就盲目临写，不思考也不分析，建议先练好笔画，然后从单字入手，把笔画搭配协调，使字整体看上去美观和谐。

名师书写示范

间架结构：主笔脊柱

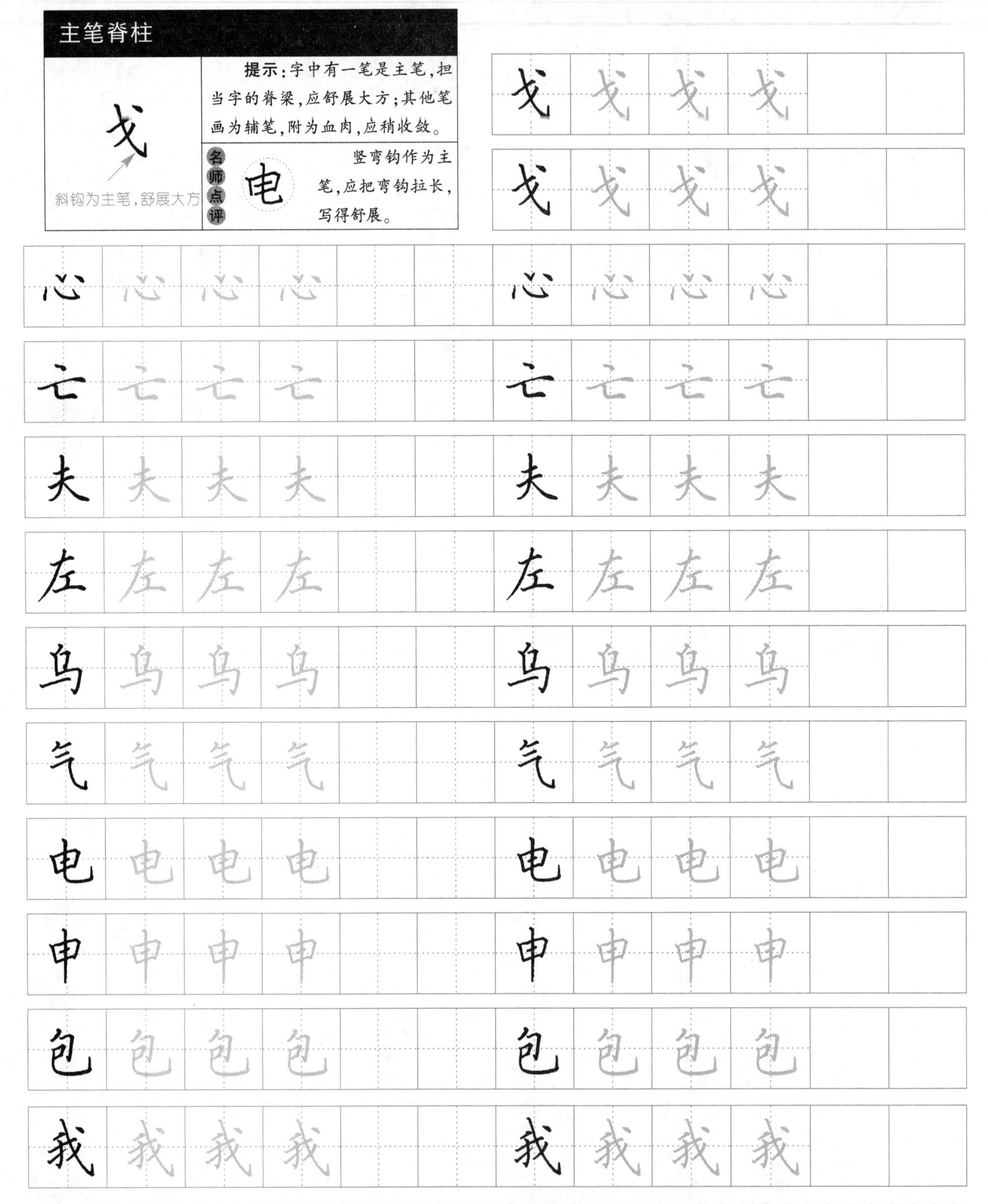

新手练字诀窍 17

一般情况下，毛笔字写得好，硬笔字自然不差。硬笔书法源于毛笔书法，硬笔的笔法和结体要领与毛笔是共通的，只是我们在写硬笔的时候，为了提高书写速度，对笔画的书写方式作了一些简省。因此，写一写毛笔字对练习硬笔字是很有帮助的。

强化训练(一)

名师书写示范

士	士	士	士			丁	丁	丁	丁		
中	中	中	中			升	升	升	升		
百	百	百	百			卉	卉	卉	卉		
犬	犬	犬	犬			尤	尤	尤	尤		
尖	尖	尖	尖			芝	芝	芝	芝		
杏	杏	杏	杏			登	登	登	登		
芎	芎	芎	芎			声	声	声	声		
尧	尧	尧	尧			名	名	名	名		
怼	怼	怼	怼			忐	忐	忐	忐		
鸢	鸢	鸢	鸢			贷	贷	贷	贷		

我们必须有恒心，尤其要有自信力！我们必须相信我们的天赋是用来做某种事情的，无论代价多么大，这种事情必须做到。

——[法]居里夫人

名师书写示范

强化训练(六)

征	征	征	征			移	移	移	移		
乡	乡	乡	乡			缀	缀	缀	缀		
吝	吝	吝	吝			奋	奋	奋	奋		
夸	夸	夸	夸			葵	葵	葵	葵		
夹	夹	夹	夹			余	余	余	余		
莫	莫	莫	莫			变	变	变	变		
囱	囱	囱	囱			因	因	因	因		
围	围	围	围			团	团	团	团		
匹	匹	匹	匹			圃	圃	圃	圃		
兹	兹	兹	兹			乘	乘	乘	乘		

忧愁、顾虑和悲观，可以使人得病；积极、愉快和坚强的意志及乐观的情绪，可以战胜疾病，更可以使人强壮和长寿。

——[俄]巴甫洛夫

间架结构：上下结构（三）

名师书写示范

新手练字诀窍4

在田字格中写字时，字要写在田字格中央，约为格子三分之二大小。每个字的中心要在一条水平线上，这样字才会整齐好看。把字写得太大或太小，一会儿偏上一会儿偏下，或一会儿偏左一会儿偏右，整篇字看起来就会很不整齐。

间架结构：围而不堵

名师书写示范

围而不堵

巨 —— 不封口，以透气

提示：凡有外框包围的字，常用此法。封口处可留一空隙，避免呆板、滞闷之感。

名师点评：固 右下角封得太死，应在相接处略留点空隙。

巨	巨	巨	巨		
巨	巨	巨	巨		

四	四	四	四			四	四	四	四		
白	白	白	白			白	白	白	白		
图	图	图	图			图	图	图	图		
囫	囫	囫	囫			囫	囫	囫	囫		
囱	囱	囱	囱			囱	囱	囱	囱		
固	固	固	固			固	固	固	固		
囿	囿	囿	囿			囿	囿	囿	囿		
匣	匣	匣	匣			匣	匣	匣	匣		
匿	匿	匿	匿			匿	匿	匿	匿		
洇	洇	洇	洇			洇	洇	洇	洇		

倘若你想征服全世界，你就得征服自己。

——[俄]陀思妥耶夫斯基

间架结构：左右结构（一）

名师书写示范

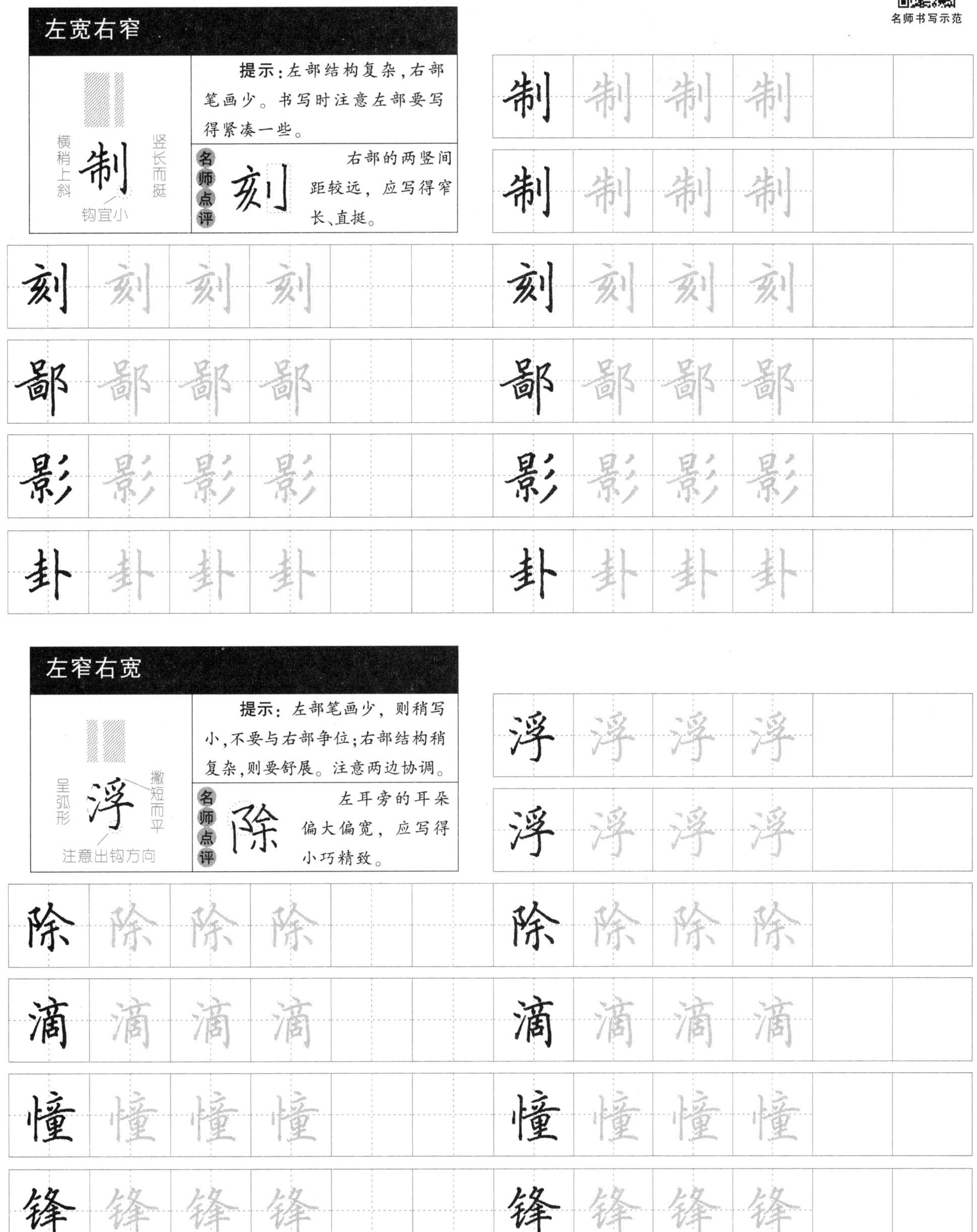

应该相信，自己是生活的强者。

——[法]雨　果

间架结构：左右对称

名师书写示范

左右对称

左右对称

分

捺画呼应撇画

提示：左边有撇、右边有捺的字需平稳对称。其笔画的高、低、长、短应根据字的形态而定。

名师点评　登　右边的捺画拉得太长，应该和左边的撇画保持对称。

分	分	分	分		
分	分	分	分		

父	父	父	父			父	父	父	父		
兵	兵	兵	兵			兵	兵	兵	兵		
查	查	查	查			查	查	查	查		
条	条	条	条			条	条	条	条		
奔	奔	奔	奔			奔	奔	奔	奔		
癸	癸	癸	癸			癸	癸	癸	癸		
巷	巷	巷	巷			巷	巷	巷	巷		
笨	笨	笨	笨			笨	笨	笨	笨		
登	登	登	登			登	登	登	登		
暴	暴	暴	暴			暴	暴	暴	暴		

Booom **新手练字诀窍 16**

新手练字时要目的明确，如果是想追求个性化与艺术性，可以用硬笔临古帖，例如《灵飞经》《曹全碑》《九成宫醴泉铭》等，但往往学习难度较大，学习周期更长。如果是为了追求日常实用书写，建议还是从今人字帖开始学起。

间架结构：左右结构（二）

名师书写示范

左长右短

提示：左长右短的字，左部要写得瘦长、直挺，右部笔画左右伸展，稍靠下。

扣 — 横、提略左伸；两竖内斜

名师点评：江 — 三点水不宜写得太紧凑，应该呈弧形散开。

扣 扣 扣 扣

扣 扣 扣 扣

沁 沁 沁 沁　沁 沁 沁 沁

积 积 积 积　积 积 积 积

豇 豇 豇 豇　豇 豇 豇 豇

韧 韧 韧 韧　韧 韧 韧 韧

左短右长

提示：在书写口字旁、又字旁等较小的偏旁构成的字时，要左短右长，且偏旁一般居左上。

叫 — 「口」居左上；悬针竖

名师点评：娇 — 女字旁写得太长了，作左偏旁时应该短小精巧。

叫 叫 叫 叫

叫 叫 叫 叫

均 均 均 均　均 均 均 均

艰 艰 艰 艰　艰 艰 艰 艰

娇 娇 娇 娇　娇 娇 娇 娇

睛 睛 睛 睛　睛 睛 睛 睛

新手练字诀窍 5

汉字书写中“相向”和“相背”两种布势最常见。字中左右两边笔势向内聚合叫作“向”，聚而不紧，避免无理冲撞。字中左右两边笔势相互背靠叫“背”，要注意笔画的呼应关系，背而不离。

间架结构：下方迎就

下方迎就

命

下方上迎，以免脱节

提示：上方有撇、捺等开张的笔画时，下方应尽量上靠相迎，让字显得紧凑不脱节。

名师点评

釜

下部离上部较远，应该迎着上部，尽量贴近。

命 命 命 命
命 命 命 命
伞 伞 伞 伞 伞 伞 伞 伞
卷 卷 卷 卷 卷 卷 卷 卷
会 会 会 会 会 会 会 会
蛋 蛋 蛋 蛋 蛋 蛋 蛋 蛋
斋 斋 斋 斋 斋 斋 斋 斋
峰 峰 峰 峰 峰 峰 峰 峰
秦 秦 秦 秦 秦 秦 秦 秦
釜 釜 釜 釜 釜 釜 釜 釜
哉 哉 哉 哉 哉 哉 哉 哉
羞 羞 羞 羞 羞 羞 羞 羞

新手练字诀窍15

新手练字建议还是先从楷书练起，练习楷书为的是打好基础，不是一件急于求成的事情。行书、行楷的书写也是有一定法度的，书写方法在一定程度上与楷书是共通的。写好了楷书再写行楷、行书就很容易，反之却不行。

间架结构：左右结构（三）

名师书写示范

左斜右正

折角上大下小 绵 上部宜小 悬针竖

提示：此结构在左右结构的字中最多。左部取斜势，右部写正，左右呼应。

名师点评 玷 王字旁最后一笔为提画，应稍向右上斜，有依附之感。

绵	绵	绵	绵		
绵	绵	绵	绵		

刘	刘	刘	刘			刘	刘	刘	刘		
玷	玷	玷	玷			玷	玷	玷	玷		
姑	姑	姑	姑			姑	姑	姑	姑		
玲	玲	玲	玲			玲	玲	玲	玲		

左右相等

上横稍短 联 捺画改点

提示：凡是左右对等平分的字，其左右高低对等，宽窄相当，平分秋色。

名师点评 颗 右部写得太小了，整体不协调，两边应差不多大小。

联	联	联	联		
联	联	联	联		

躬	躬	躬	躬			躬	躬	躬	躬		
赖	赖	赖	赖			赖	赖	赖	赖		
颗	颗	颗	颗			颗	颗	颗	颗		
豁	豁	豁	豁			豁	豁	豁	豁		

新手练字诀窍 6

古人说："临书易失古人位置，而多得古人笔意；摹书易得古人位置，而多失古人笔意。"故此提倡"描、摹、临"结合。描红和用透明纸摹写是为了帮助我们掌握字的"形"，好比刚学走路时的拐杖，但我们迟早要丢了"拐杖"，自己临写。许多初学者常常舍不得丢掉这个"拐杖"，自然离了"拐杖"就写不好字。

间架结构：连撇参差

名师书写示范

连撇参差

众撇指向不一 富有变化

彩

提示： 字中有多个撇画连写时，不要排齐而写，应指向不一，长短也有所区别。

名师点评

参

三撇不要完全一样，应写出弧度，长短不一。

彩	彩	彩	彩		
彩	彩	彩	彩		

参	参	参	参			参	参	参	参		
行	行	行	行			行	行	行	行		
狗	狗	狗	狗			狗	狗	狗	狗		
珍	珍	珍	珍			珍	珍	珍	珍		
纱	纱	纱	纱			纱	纱	纱	纱		
须	须	须	须			须	须	须	须		
刎	刎	刎	刎			刎	刎	刎	刎		
忽	忽	忽	忽			忽	忽	忽	忽		
象	象	象	象			象	象	象	象		
豺	豺	豺	豺			豺	豺	豺	豺		

认识自己的无知是通往智慧殿堂的门槛。

——[英]查·斯珀吉翁

强化训练(二)

名师书写示范

今	今	今	今			舍	舍	舍	舍		
显	显	显	显			孟	孟	孟	孟		
卧	卧	卧	卧			刑	刑	刑	刑		
孤	孤	孤	孤			彷	彷	彷	彷		
相	相	相	相			粒	粒	粒	粒		
味	味	味	味			剑	剑	剑	剑		
温	温	温	温			外	外	外	外		
朝	朝	朝	朝			鞋	鞋	鞋	鞋		
姝	姝	姝	姝			顽	顽	顽	顽		
牦	牦	牦	牦			妇	妇	妇	妇		
钥	钥	钥	钥			颁	颁	颁	颁		

每一个要在社会上得到地位的人，一定要经历巨大的困难与努力的时期，成功是一点一滴地积累起来的。

——[荷兰]梵·高

强化训练(五)

主	主	主	主			导	导	导	导		
古	古	古	古			库	库	库	库		
辱	辱	辱	辱			茅	茅	茅	茅		
卓	卓	卓	卓			集	集	集	集		
暑	暑	暑	暑			事	事	事	事		
非	非	非	非			焦	焦	焦	焦		
蚰	蚰	蚰	蚰			刮	刮	刮	刮		
宜	宜	宜	宜			耐	耐	耐	耐		
姗	姗	姗	姗			而	而	而	而		
面	面	面	面			稚	稚	稚	稚		

朋友的良言劝诫是一味最好的药。历史上的许多伟人，往往由于在紧要关头听不到朋友的忠告，而做出后悔莫及的错事。

——[英]培 根

间架结构：包围结构（一）

上包下

左短右长 同 内部上靠

提示： 被包围部分要稍靠上，不可放在框内正中，更不可偏下，显垂坠之感。

名师点评 凤 被包的部分写得偏大，应注意留有空隙。

同 同 同 同

同 同 同 同

闪 闪 闪 闪　闪 闪 闪 闪

凤 凤 凤 凤　凤 凤 凤 凤

用 用 用 用　用 用 用 用

闭 闭 闭 闭　闭 闭 闭 闭

下包上

居中上凸 凶 外框较低

提示： 所包部分要位于正中间，并要略微向下沉，不可浮在上方。

名师点评 幽 外框不宜太宽扁，中竖应伸长，右竖下端应出头。

凶 凶 凶 凶

凶 凶 凶 凶

画 画 画 画　画 画 画 画

函 函 函 函　函 函 函 函

凼 凼 凼 凼　凼 凼 凼 凼

幽 幽 幽 幽　幽 幽 幽 幽

伟大的生活目标不是知识，而是行动。

——[英]赫胥黎

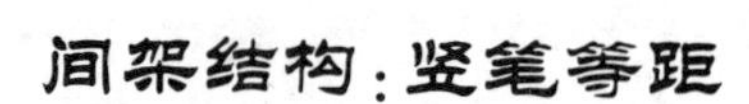

名师书写示范

竖笔等距

等距

川

提示：竖笔之间如果没有点、撇、捺等笔画相隔，各竖笔的间距要基本相等。

名师点评 卌 "卌"写得太宽，竖笔之间应该等距、瘦长才好看。

						川	川	川	川		
						川	川	川	川		
卌	卌	卌	卌			卌	卌	卌	卌		
训	训	训	训			训	训	训	训		
曲	曲	曲	曲			曲	曲	曲	曲		
利	利	利	利			利	利	利	利		
临	临	临	临			临	临	临	临		
带	带	带	带			带	带	带	带		
删	删	删	删			删	删	删	删		
篇	篇	篇	篇			篇	篇	篇	篇		
舞	舞	舞	舞			舞	舞	舞	舞		
儒	儒	儒	儒			儒	儒	儒	儒		

Booom 新手练字诀窍 14

田英章先生说过，行笔的时候，要"两慢一快"，即下笔要慢，中间行笔要快，收笔要慢，还要巧。这样写出字来既合法度，又看起来舒服。这和医院的护士给病人打针的要领"两快一慢"正相反，护士打针时进针要快，推药要慢，拔针要快，这样让人感到舒服，否则疼痛难忍。

间架结构：包围结构(二)

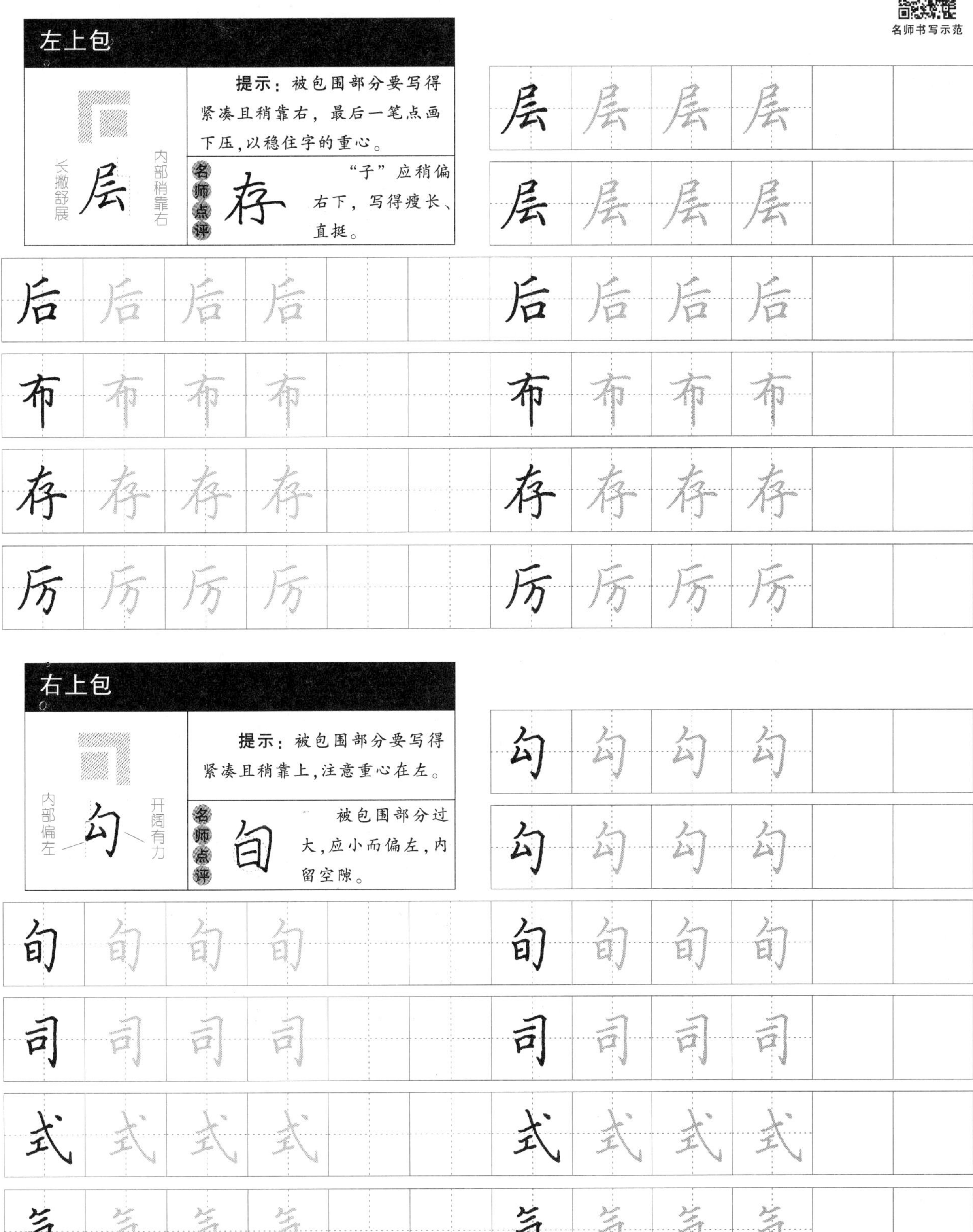

Booom 新手练字诀窍 7

临写不是简单地照着写。首先要追求"形似"，就是像，范字是实笔就写成实笔，范字是虚笔就写成虚笔，不要随意更改。笔画少的字要写小，笔画多的字要写细，"下一笔要看三眼"，谁想进步快就要临帖临得"狠"。

间架结构：横笔等距

名师书写示范

横笔等距

等距 三

提示：横笔之间如果没有点、撇、捺等笔画相隔，各横笔的间距要基本相等。

名师点评 羊 竖画写得有点弯曲，显得无力，横距要均匀。

三	三	三	三		
三	三	三	三		

章	章	章	章			章	章	章	章		
羊	羊	羊	羊			羊	羊	羊	羊		
直	直	直	直			直	直	直	直		
丰	丰	丰	丰			丰	丰	丰	丰		
基	基	基	基			基	基	基	基		
春	春	春	春			春	春	春	春		
美	美	美	美			美	美	美	美		
拜	拜	拜	拜			拜	拜	拜	拜		
耘	耘	耘	耘			耘	耘	耘	耘		
霍	霍	霍	霍			霍	霍	霍	霍		

新手练字诀窍 13

许多初学书法的人，下笔慢的不多，行笔慢的不少。速度慢了写不直，老是打弯，所以行笔要快。快不是慌里慌张，尤其写横折笔更要慢。比如开车，转弯时一定要慢，否则就可能出事故。折笔收笔时，一定要整理好笔锋，一看形状就能知道自己的笔锋会出现什么效果，应该有这种预感，否则就是不会写字。

间架结构：包围结构（三）

名师书写示范

左包右

提示：被包围部分可以稍偏右，但不能离框太远，以免重心失衡。

首横短 匠 末横长

名师点评：匪 左上角不用封口，太封闭会显得呆板。

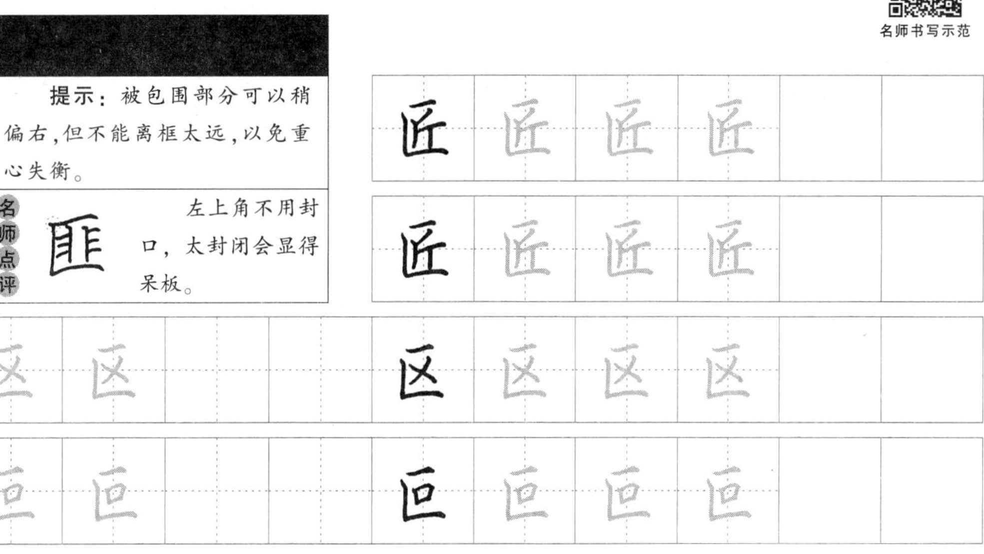

匠 匠 匠 匠

匠 匠 匠 匠

区 区 区 区　区 区 区 区

叵 叵 叵 叵　叵 叵 叵 叵

医 医 医 医　医 医 医 医

匪 匪 匪 匪　匪 匪 匪 匪

全包围

提示：国字框的字都属于全包围结构。字整体要端正稳健，不可歪斜。

不封口，透气 回 右竖长于左竖

名师点评：因 整体太封闭，右下角的出钩稍带小钩即可。

回 回 回 回

回 回 回 回

园 园 园 园　园 园 园 园

因 因 因 因　因 因 因 因

困 困 困 困　困 困 困 困

圆 圆 圆 圆　圆 圆 圆 圆

新手练字诀窍 8

错误的笔顺不仅影响写字的速度、字的美观性，还会对楷书向行楷或行书过渡产生阻碍。如果按正确的笔顺加快书写，笔画自然连带，就会形成漂亮的行楷或行书。下面我们列举一些易错的笔顺：

长　凹　及　比

间架结构：底竖斜位

名师书写示范

底竖斜位

中心线
寺 偏右

提示：竖在下方时，竖画不是全部都居中，或偏左，或偏右；偏右者多，偏左者少。

名师点评 卑 下部的竖画应该偏右，偏左会显得重心不稳。

寺	寺	寺	寺		
寺	寺	寺	寺		

寻	寻	寻	寻			寻	寻	寻	寻		
斥	斥	斥	斥			斥	斥	斥	斥		
可	可	可	可			可	可	可	可		
屋	屋	屋	屋			屋	屋	屋	屋		
芹	芹	芹	芹			芹	芹	芹	芹		
序	序	序	序			序	序	序	序		
卑	卑	卑	卑			卑	卑	卑	卑		
雁	雁	雁	雁			雁	雁	雁	雁		
载	载	载	载			载	载	载	载		
翰	翰	翰	翰			翰	翰	翰	翰		

先相信你自己，然后别人才会相信你。

——[俄]屠格涅夫

间架结构：特殊结构

名师书写示范

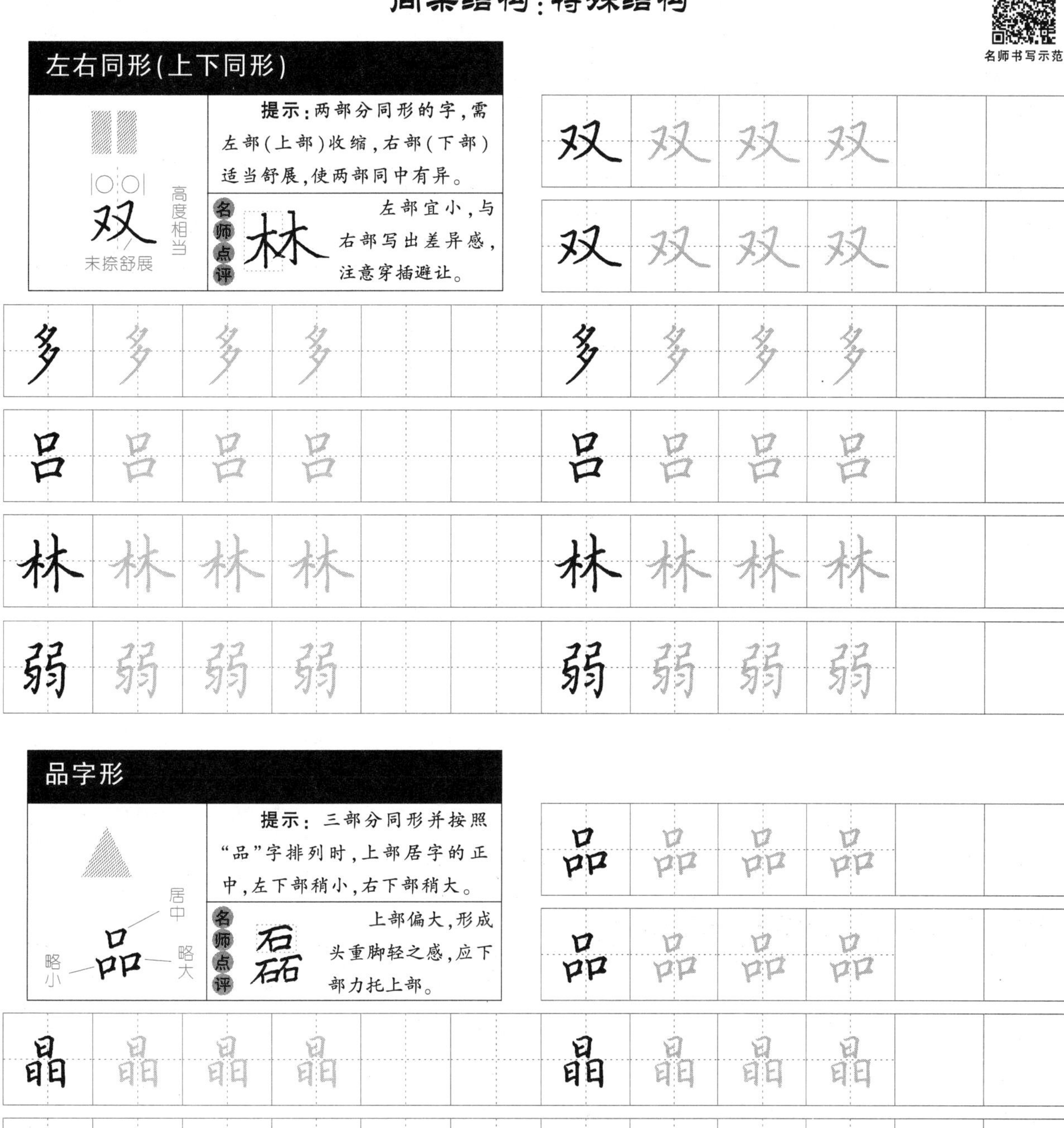

长太息以掩涕兮，哀民生之多艰。

——[战国]屈　原

间架结构：中直偏右

中直偏右

中心线

亍 竖画稍偏右

提示：中间有竖时，竖画都应该垂直劲挺，但须稍偏右，太正中会显呆板。

名师点评

是 “日”太偏右，平捺收笔应平出。

亍 亍 亍 亍

亍 亍 亍 亍

才 才 才 才 才 才 才 才

余 余 余 余 余 余 余 余

正 正 正 正 正 正 正 正

华 华 华 华 华 华 华 华

杀 杀 杀 杀 杀 杀 杀 杀

宇 宇 宇 宇 宇 宇 宇 宇

是 是 是 是 是 是 是 是

牵 牵 牵 牵 牵 牵 牵 牵

奉 奉 奉 奉 奉 奉 奉 奉

隼 隼 隼 隼 隼 隼 隼 隼

新手练字诀窍12

手指和手腕的力量对笔的控制是书写笔锋的关键，也是决定笔法的核心因素。练习时可以尝试用不同力度书写相应线条，感受力度变化对字的影响，或在写字时转动手中的笔，让笔尖分别以正面、侧面和纸接触，观察硬笔的“八面出锋”。

名师书写示范

强化训练(三)

闹	闹	闹	闹			闯	闯	闯	闯		
去	去	去	去			出	出	出	出		
尾	尾	尾	尾			斤	斤	斤	斤		
句	句	句	句			贰	贰	贰	贰		
匡	匡	匡	匡			臣	臣	臣	臣		
固	固	固	固			四	四	四	四		
比	比	比	比			哥	哥	哥	哥		
众	众	众	众			淼	淼	淼	淼		
昌	昌	昌	昌			赫	赫	赫	赫		
焱	焱	焱	焱			鑫	鑫	鑫	鑫		

不因幸运故步自封，不因厄运一蹶不振。真正的强者，善于从顺境中找到阴影，从逆境中找到光亮，时时校准自己前进的目标。

——[挪威]易卜生

名师书写示范

强化训练（四）

宋	宋	宋	宋			字	字	字	字		
窗	窗	窗	窗			寡	寡	寡	寡		
涵	涵	涵	涵			灾	灾	灾	灾		
黑	黑	黑	黑			闷	闷	闷	闷		
空	空	空	空			定	定	定	定		
童	童	童	童			辛	辛	辛	辛		
桌	桌	桌	桌			累	累	累	累		
走	走	走	走			崇	崇	崇	崇		
帘	帘	帘	帘			审	审	审	审		
雷	雷	雷	雷			幸	幸	幸	幸		
永	永	永	永			崖	崖	崖	崖		

一个没有原则和没有意志的人，就像一艘没有舵和罗盘的船，他会随着风的变化而随时改变自己的方向。——[英]斯迈尔斯

间架结构：首点居正

首点居正

中心线

亩

提示：首点应居于全字中心线上，棱角凸显，飒爽精神，这是点画技法的要诀。

名师点评

玄

写得很好，美中不足是点没有居正中。

亩	亩	亩	亩		
亩	亩	亩	亩		

六	六	六	六			六	六	六	六		
方	方	方	方			方	方	方	方		
亢	亢	亢	亢			亢	亢	亢	亢		
玄	玄	玄	玄			玄	玄	玄	玄		
亦	亦	亦	亦			亦	亦	亦	亦		
言	言	言	言			言	言	言	言		
产	产	产	产			产	产	产	产		
亥	亥	亥	亥			亥	亥	亥	亥		
寂	寂	寂	寂			寂	寂	寂	寂		
育	育	育	育			育	育	育	育		

Booom 新手练字诀窍 9

很多新手为了追求笔画的粗细变化，一开始就用美工笔。这样实际上有点舍本逐末，因为过分依赖工具，而忽略了对控笔能力的训练。其实练字只需选一支出水流畅的钢笔或中性笔，不用太贵，主要是顺手，注意培养和笔之间的默契度。只要能人笔合一，必能笔随意动。

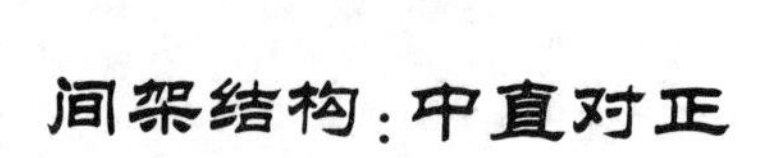

间架结构：中直对正

名师书写示范

中直对正

卓 两竖在一条线上

提示：上下两部分都有竖画，那么应两竖直对，使字形更加直挺、美观。

名师点评 岸 上部和下部的竖画没有对齐，字整体重心不稳。

卓	卓	卓	卓		
卓	卓	卓	卓		

常	常	常	常			常	常	常	常		
尘	尘	尘	尘			尘	尘	尘	尘		
步	步	步	步			步	步	步	步		
圭	圭	圭	圭			圭	圭	圭	圭		
歪	歪	歪	歪			歪	歪	歪	歪		
堂	堂	堂	堂			堂	堂	堂	堂		
岸	岸	岸	岸			岸	岸	岸	岸		
素	素	素	素			素	素	素	素		
卡	卡	卡	卡			卡	卡	卡	卡		
崇	崇	崇	崇			崇	崇	崇	崇		

新手练字诀窍 11

初学书法，结构至上。先把字形写像，把笔画的角度、长度、弧度大小都写到位，即使笔画的轻重变化表现不出来，也没关系。这样一眼望去，字不会太难看。而笔画是组成字的最小零件，笔画的练习要贯穿练字的始终，需努力让每个零件都尽善尽美。

间架结构：通变顾盼

名师书写示范

通变顾盼

呼应

必

提示：一字之中若有多个点，就应通变顾盼，各具情态，首尾意连，彼此呼应。

名师点评 补 首点应在横撇转折处的上方，注意与其他点画的呼应。

必	必	必	必		
必	必	必	必		

冷	冷	冷	冷			冷	冷	冷	冷		
总	总	总	总			总	总	总	总		
补	补	补	补			补	补	补	补		
炒	炒	炒	炒			炒	炒	炒	炒		
羔	羔	羔	羔			羔	羔	羔	羔		
衬	衬	衬	衬			衬	衬	衬	衬		
炽	炽	炽	炽			炽	炽	炽	炽		
念	念	念	念			念	念	念	念		
料	料	料	料			料	料	料	料		
添	添	添	添			添	添	添	添		

新手练字诀窍10 练一个字一次最好不要练习太多遍。每写一遍都应该认真地读帖、比较、修改，这样每一次都能有所进步。如果感觉怎么都写不好，那么当天不适宜再多练习了。因为反复用错误的方法写一个字，其实是在强化错误。过段时间，再写这个字，你会发现比原来写得好，这就是练习潜移默化的作用。

间架结构：点竖直对

名师书写示范

点竖直对

主 点与竖居中线

提示：上面有点，下面有竖，那么点和竖应在一条直线上，使字形更显整齐美观。

名师点评 床 "木"的竖画应对准上面的点画起笔，点与竖对正。

主	主	主	主		
主	主	主	主		

市	市	市	市				市	市	市	市			
永	永	永	永				永	永	永	永			
京	京	京	京				京	京	京	京			
庙	庙	庙	庙				庙	庙	庙	庙			
宗	宗	宗	宗				宗	宗	宗	宗			
卒	卒	卒	卒				卒	卒	卒	卒			
帝	帝	帝	帝				帝	帝	帝	帝			
店	店	店	店				店	店	店	店			
章	章	章	章				章	章	章	章			
害	害	害	害				害	害	害	害			

老吾老，以及人之老；幼吾幼，以及人之幼。

——孟 子